BORDER: CARNIVAL

UP

SUNGHOON

JAKE

JUNGWON

SUNOO

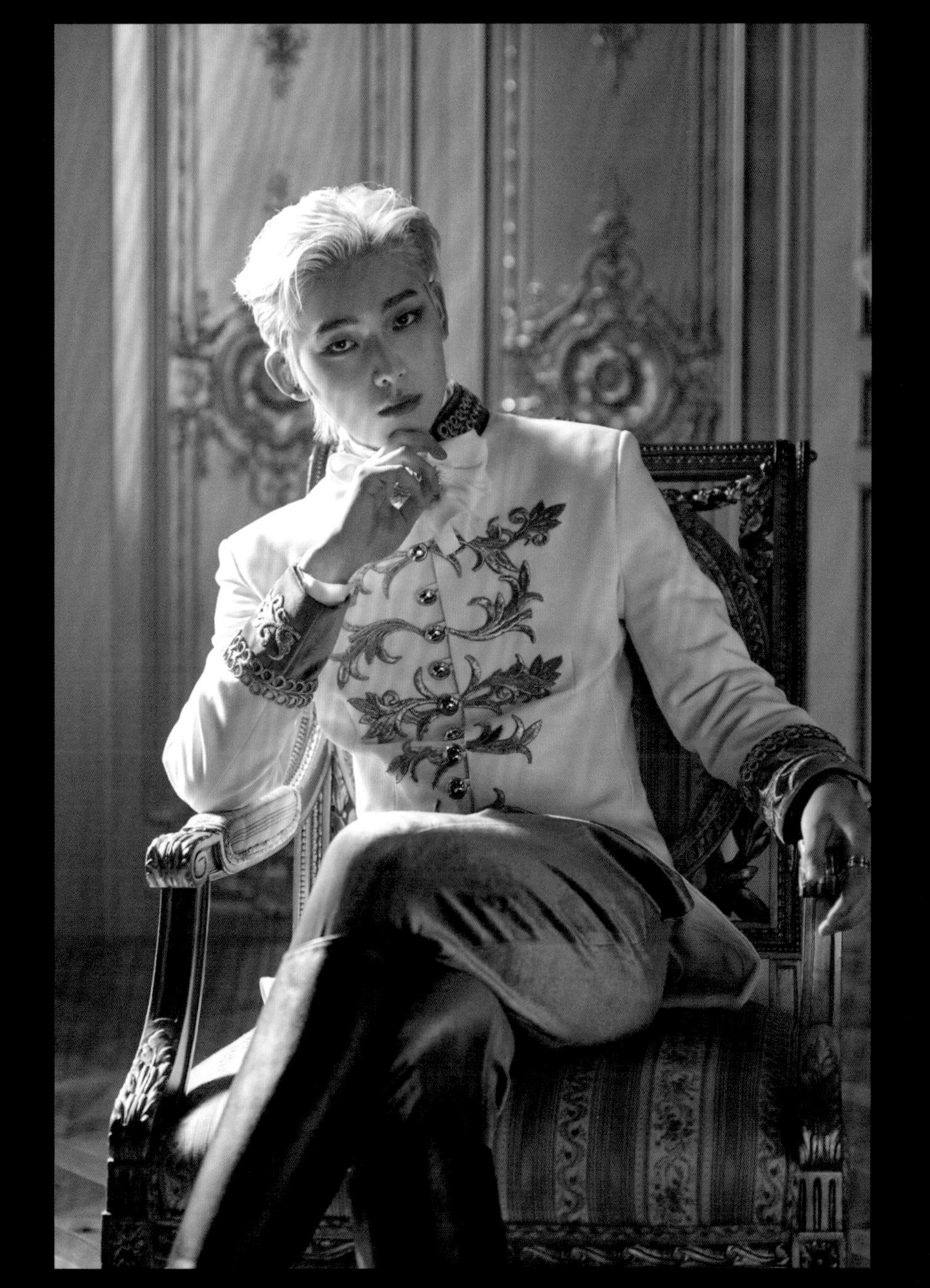

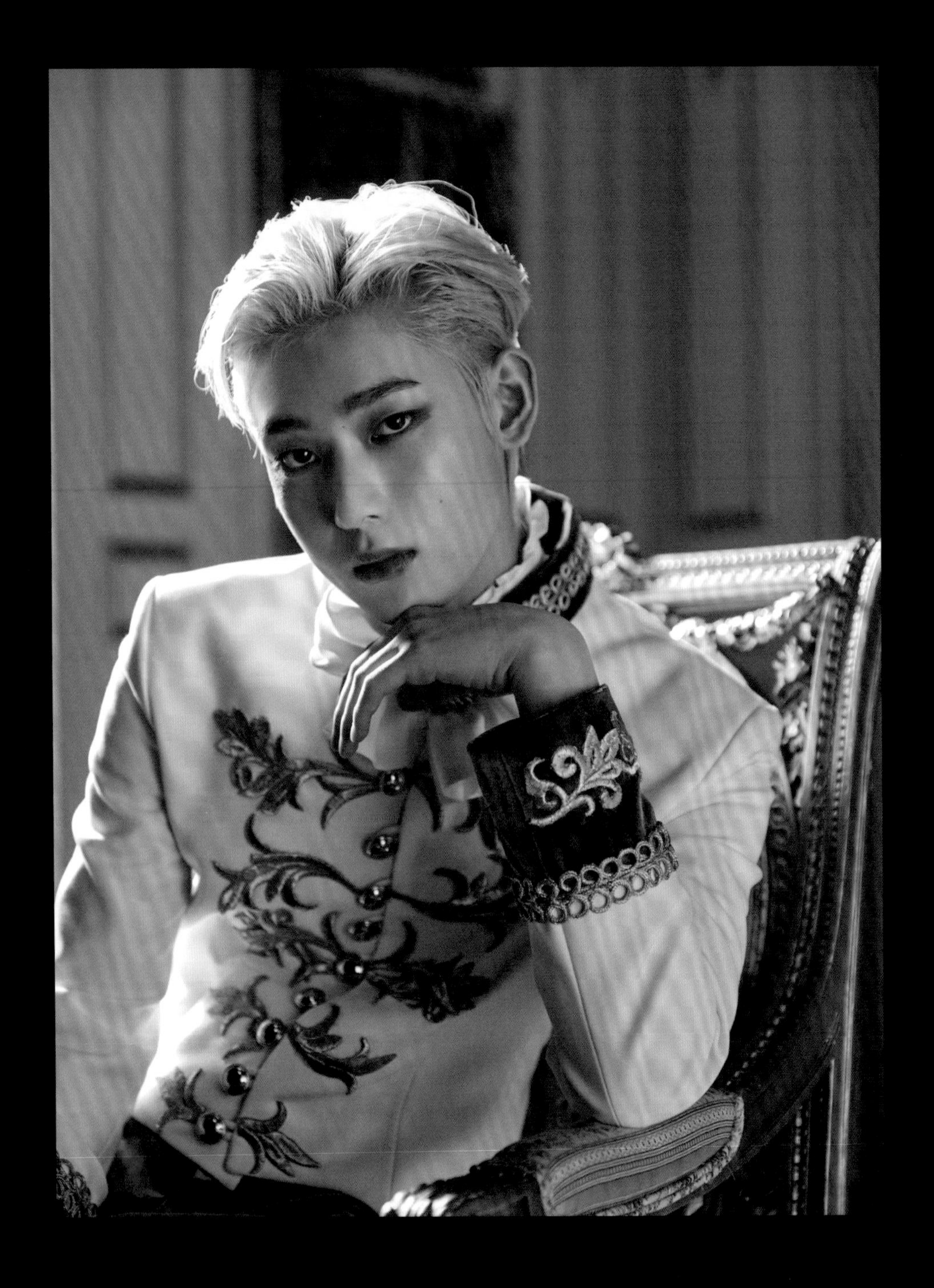

HEESEUNG

UP

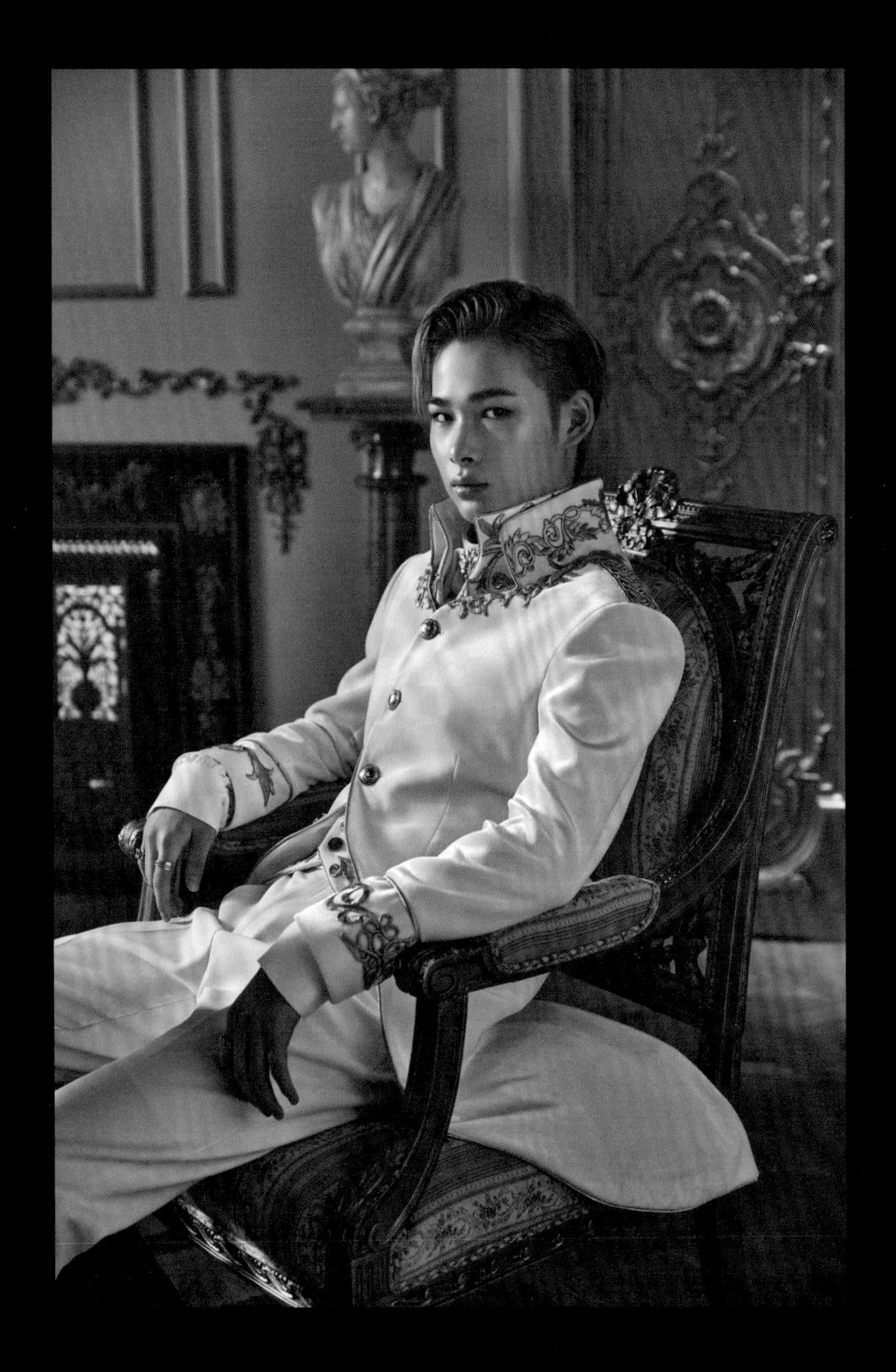

THANKS TO. **JUNGWON**

먼저, 누구보다 저를 생각하고 사랑해 주는 우리 가족들, 너무 사랑합니당

저희가 〈BORDER : DAY ONE〉 활동을 무사히 마치고, 이번 미니 앨범 2집 〈BORDER : DAY ONE〉 을 준비하면서 항상 응원해 주고 아낌없이 사랑해 주신 엔진 여러분!!
미니 앨범 1집보다 2집을 준비하면서 공백기가 더 길었는데
그 시간 동안 잘 기다려줘서 너무 고마워요!
앞으로 더 보람차게, 더 열정적으로 활동할 수 있을 것 같아요!

저희를 항상 지켜봐 주고, 신경 써주시는 방시혁 총괄프로듀서님, 김태호 대표님과 최윤혁 부대표님. 정말 감사드립니다.

멋있는 음악으로 활동할 수 있도록 앨범 제작에 도움을 주신 원더키드님, 호진님, 신쿵님, 용호님, A&R팀의 은정님, 찬양님, 퍼포먼스 디렉팅팀의 두부님, 다희님, 성관님, VC팀의 건희님 그리고 스튜디오 팀의 초롱님, 연수님까지 모두 수고가 많으셨습니다. 감사드립니다!

항상 재미있는 콘텐츠를 찍을 수 있도록 도와주신 아티스트콘텐츠스튜디오의 유정님, 수린님, 지빈님, 보나님, 서연님, 정효님, 승아님, 지은님 FC사업팀의 혜정님, 샛별님. 너무 감사합니다 ☺

또 앨범 재킷 촬영과 뮤직비디오를 더할 나위 없이 멋있게 만들어주신 신선혜 실장님, 목정욱 실장님, 룸펜스 감독님, 정누리 감독님. 고개 숙여 감사드립니다~!!

마지막으로 저희가 멋진 모습으로 무대에 설 수 있도록 도와주시는 스타일리스트팀의 경원 실장님, 혜린님, 세진님, 주윤님, 윤주님, 헤어 팀의 일중 실장님, 민정 실장님, 동호님, 승현님 메이크업팀의 성희 실장님, 소정 실장님, 혜미님께도 감사드립니다♥

THANKS TO.

HEESEUNG

〈BORDER : DAY ONE〉앨범으로 많은 분께 저희 모습을 처음 선보인 게
엊그제 같은데 벌써 두 번째 앨범 Thanks to를 쓰고 있네요. 행복합니다! 히히.
이번 〈BORDER : DAY ONE〉은 어떻게 하면 저희의 색다른 모습을 보여줄
수 있을까? 어떻게 하면 좀 더 발전된 퍼포먼스를 보여줄 수 있을까? 고민하며
애정을 듬뿍 담은 앨범이라 유독 애착이 깊습니다. 달라진 분위기와 장르의
곡들을 제 것으로 만들기 위해 하루하루 고민하면서 보낸 과정이 즐겁기도 했고,
다른 한편으로는 엔진 분들께 보여드린다는 일념으로 그동안의 시간을 이겨낼
수 있었던 것 같아요.

가수로서 하는 고민들은 참 행복한 고민인 것 같아요. 멤버들도 그렇고, 저희를
도와주는 많은 분들이 계시기에 하루하루 고민하는 과정들이 쌓여 하나의
작품이 완성되는 게 감사하게 느껴지는 순간이 많아요.

저희들이 활동을 잘할 수 있도록 도와주는 의전팀의 세진님, 태진님, 신동님,
지호님, 광택님, 너무 감사합니다. 항상 멋진 음악을 선사해 주시는 은정님,
찬양님, 원더키드님, 호진님, 신쿵님께도 진심을 담아 감사드립니다!

멋진 비주얼을 만들어주시는 건희님, 그런 모습을 예쁘고 재미있게 담아주시는
수린님, 지빈님, 유정님, 정효님, 보나님, 지은님, 서연님, 승아님께도 형언할 수
없는 감사의 마음을 전합니다!

무엇보다 저희에게 큰 관심과 아낌없는 지원을 해주시는 방시혁
총괄프로듀서님, 김태호 대표님과 최윤혁 부대표님께 깊은 감사의 인사를
전하고 싶습니다.

그리고 내 곁에 든든히 머물러주는 엄마, 아빠, 형, 땡큐! ♥

엔진 여러분! 드디어 두 번째 앨범이네요.
앨범을 준비하는 기간이 정말 길기도 했고, 엔진 여러분께서 만족하실 수
있을까 걱정도 많이 했어요. 이렇게 준비한 앨범을 좋아해 주시면 정말 좋겠다고
조심스럽게 기대해 봐요. ㅎㅎ
저는 짧은 순간들이 제 머릿속에 크게 남는 편인 것 같아요.
예를 들어 팬미팅이라던가…. 팬미팅이라던가…. 또 팬미팅(ㅋㅋㅋ)!
제게는 엔진 여러분들이 이렇게 멋진 앨범을 만드는 동기이자 이유라고
당당하게 말할 수 있어요! 그런 열정과 마음을 이 앨범에 가득 담았으니까 같이
즐겨주세요. ㅎㅎ
감사해요 엔진, 그리고 사랑합니다!

THANKS TO. **JAKE**

가장 먼저 가족에게 감사의 인사를 전하고 싶습니다.
언제나 저를 믿어주고 응원해 주는 우리 가족, 항상 사랑하고 감사합니다.
말로 표현할 수 없을 정도로 사랑하는 우리 엔진!
항상 응원해 주시고 사랑해 주시는 덕분에 엔하이픈이 존재합니다.
이 사실을 꼭 기억해 주셨으면 좋겠습니다. 늘 사랑하고 고마워요 엔진! ♥

저희에게 뜻깊은 조언과 응원을 아끼지 않는 방시혁 총괄 프로듀서님, 김태호 대표님, 최윤혁 부대표님. 항상 감사드립니다.

이번 앨범에 수록된 노래뿐 아니라 음악적인 면에서 많은 노력을 기울여준 원더키드님, 호진님, 신쿵님, 용호님, A&R팀 은정님과 찬양님, 사운드랩 창원님, 초롱님, 연수님, 진세님, 우영님, 유정님, 모두 진심을 담아 감사드리고 싶습니다.
앞으로도 잘 부탁드립니다.

저희 퍼포먼스를 위해 많은 노력을 해주고 계시는 성득님, 두부님, 성관님, 다희님, 많은 댄서분들에게 진심으로 감사를 드립니다.

저희가 엔진 분들에게 멋진 모습을 보일 수 있도록 비주얼을 맡아주시는 건희님. 스타일팀 최경원 실장님, 임혜린님, 장세진님, 정주윤님. 헤어팀 이일중 실장님, 경민정 실장님, 이승현님, 유동호님. 메이크업팀 안성희 실장님, 권소정 실장님, 조혜미님. 모두 너무너무 감사드립니다.

그리고 이번 앨범에 수록된 멋진 사진을 찍어주신 신선혜 실장님과 목정욱 실장님께도 감사를 드립니다.

저희 모습을 뮤직비디오로 멋지게 담아주신 룸펜스 감독님과 정누리 감독님께도 무척, 아주 많이 감사드립니다.

저희와 항상 함께하고 많은 서포트를 해주시는 의전팀 세진님, 태진님, 광택님, 지호님, 신동님. 너무너무 감사드립니다! 그리고 보이지 않은 곳에서 많은 노력을 해주시는 사업 마케팅팀, 매니지먼트팀과 수많은 빌리프랩팀, 너무너무 감사드립니다.

다시 한 번 많은 분들께 감사드리고, 엔하이픈은 엔진 분들과 수많은 스태프 분들의 노력으로 존재한다는 것을 실감했습니다.

그리고, I do it all for the glory of God.

THANKS TO. **SUNGHOON**

안녕하세요 성훈입니다.
저희가 미니 앨범 2집 〈BORDER : DAY ONE〉로 컴백하게 됐어요.
이번 앨범에 도움을 주신 모든 분들께 감사의 마음을 전하고 싶습니다

항상 큰 힘이 돼주시는 김태호 대표님, 최윤혁 부대표님, 방시혁
총괄프로듀서님께 감사의 말씀을 전하고 싶고, 앨범을 위한 곡과 안무 제작에
힘써주신 원더키드님, 두부님, 성득님께도 감사드립니다

그리고 신쿵님, 호진님, 조용호님, A&R 파트 은정님, 찬양님, 김초롱님,
이연수님, 양창원님, 믹스 작업을 해주신 진세님, 우영님께도 저희의 감사 인사를
전하고 싶습니다.

항상 가까이서 저희 스타일링과 비주얼을 신경 써 주시는 건희님. 멋진 옷을 입혀
주시는 경원실장님, 혜린님, 세진님, 주윤님. 멋진 헤어스타일을 완성해 주시는
일중 실장님, 민정 실장님, 동호님, 승현님. 예쁘게 메이크업을 해주시는 성희
실장님, 소정 실장님, 혜미님께도 감사드립니다

항상 저희를 그림자처럼 케어해 주시는 의전팀, 매니지먼트팀 세진님, 태진님,
신동님, 지호님, 광택님, 신우님께도 감사드립니다

이번 앨범 재킷을 멋지게 찍어주신 신선혜 실장님, 목정욱 실장님, 뮤직비디오를
만들어주신 룸펜스 감독님, 정누리 감독님께도 감사의 말씀을 전하고 싶습니다.

마지막으로 항상 저희와 연결돼 있고 큰 힘이 돼 주시는 엔진 분들!
엔하이픈과 함께 긴 여정의 길을 걷고 있는 엔진 분들이 많이 사랑해 주셔서
두 번째 앨범 준비도 무사히 마칠 수 있었습니다.
정말 감사합니다!

THANKS TO. **SUNOO**

이번 앨범 제작에 도움을 주신 방시혁 총괄 프로듀서님과 김태호 대표님, 최윤혁 부대표님께 무한 감사 인사를 드립니다.

원더키드님, 호진님, 신쿵님 이 외에 은정님, 찬양님, 녹음에 도움 주신 모든 분께 감사 인사를 드립니다. 보컬 레슨을 해주신 나래 선생님께도 깊은 감사의 마음을 전합니다.

안무에 도움을 주신 두부 디렉터님, 손성득 디렉터님, 다희님, 안무 선생님들께도 정말 감사드립니다.

그리고 또 많은 도움을 주신 건희님께도 정말 감사하다는 말씀을 드리고 싶습니다. 헤어와 메이크업을 담당해 주시는 일중 실장님부터 민정 실장님, 승현님, 동호님, 성희 실장님, 소정 실장님, 혜미님에 이르기까지 모두 너무나 애써 주셔서 정말 감사했습니다. 그리고 늘 멋진 옷을 준비해 주신 스타일팀의 경원 실장님, 혜린님, 세진님, 주윤님께도 감사드립니다!

이번 앨범 재킷 사진을 멋지게 찍어주신 신선혜 실장님, 목정욱 실장님께도 정말정말 감사하다는 말씀을 드리고 싶습니다. 촬영에 어려움이 많았지만 모두 아낌없이 도와주셔서 무사히 마무리할 수 있었던 것 같습니다.

멋진 뮤직비디오를 만들어 주신 룸펜스 감독님과 정누리 감독님께도 감사의 말씀을 드립니다. 높은 완성도를 위해 직접 디렉팅도 주시고 좋은 퀄리티로 결과물이 나올 수 있도록 신경 써주셔서 무척 고마웠습니다.

엄살 부리는 저를 이끌어주신 필라테스 선생님께도 감사드리고 싶습니다.

늘 엔하이픈을 지켜주시는 의전팀의 세진님, 태진님, 광택님, 지호님, 신동님께도 정말정말 감사드립니다. 그리고 매니지먼트팀 성석님, 신우님, 사업·마케팅에 힘써 주시는 빌리프랩 분들께도 진심으로 감사드립니다.

늘 응원해 주는 우리 가족들과 친구들, 학교 선생님께도 많은 힘이 돼 주신 점, 깊이 감사드립니다

멋진 콘텐스를 만들어주신 수린님, 시빈님, 유성님, 보나님, 지은님, 정연님, 서연님께도 감사드립니다.
FC사업팀의 혜정님, 샛별님, 승엽님, 도움을 주신 모든 분들께 감사드립니다.

마지막으로 저희에게 많은 사랑을 보내주시는 엔진 분들 정말정말 감사드립니다.
멋진 엔하이픈으로 다시 돌아올 테니까 기대해 주시고 이번 앨범도 많이많이 사랑해 주세요!

지금까지 엔하이픈 선우였습니다. 모두모두 진심으로 감사드립니다.

THANKS TO. NI-KI

방시혁 총괄 프로듀서님, 김태호 대표님, 최윤혁 부대표님!
이번 앨범도 저희가 빛날 수 있도록 많은 조언과 도움을 주셔서 감사드립니다.

원더키드님, 호진님, 신쿵님 이외에 모든 A&R팀 분들,
이번 앨범을 준비하는 과정에서 녹음에 많은 도움을 주셔서 무척 감사했습니다.

두부 디렉터님, 손성득 디렉터님, 안무를 도와주신 모든 분들께도 감사드립니다.

저희가 멋있게 무대에 설 수 있도록 많은 도움을 주신 건희님과 헤어와 메이크업을
담당해 주신 스타일팀에게도 감사드리고 싶습니다.

엔하이픈의 24시간을 지켜 주시는 의전팀의 세진님, 태진님, 지호님, 신동님,
광택님께도 깊은 감사의 인사를 드립니다.

両親
いつも応援してくれてありがとう。今回のアルバムでも良い姿を見せられ
たら良いなと思います。

저희 콘텐츠에 많은 도움을 주신 아티스트콘텐츠스튜디오와 FC사업팀
분들에게도 감사를 드립니다.
뮤직비디오를 멋있게 찍어 주신 룸펜스 감독님과 정누리 감독님께도
감사드립니다.

마지막으로 엔진! 진심으로 감사드립니다. 지금까지 니키였습니다. 감사합니다.

CREDITS

EXECUTIVE PRODUCER	김태호
CO-EXECUTIVE PRODUCER	최윤혁
CHIEF PRODUCER	“HITMAN” BANG
PRODUCER	WONDERKID
RECORDING ENGINEERS	양창원, 김초롱, 박진세, 이연수, 정우영
MASTERING ENGINEER	CHRIS GEHRINGER @ Sterling Sound
MUSIC PRODUCTION	안인용, 이아람
PRODUCTION MANAGEMENT	조아라
A&R	김은정, 조찬양
VISUAL CREATIVE	이건희
PERFORMANCE DIRECTING	손성득, DOOBU, 김다희
ARTIST MANAGEMENT	김세진, 손지호, 오광택, 이신동, 정태진
BRAND EXPERIENCE DESIGN	LONETONE, 김민지
BUSINESS & MARKETING	김지선, 정선영, 김성래, 박미래, 이아라, 이채원, 전수민
PHOTO	목정욱(HYPE / DOWN), 신선혜(UP)
STYLIST	최경원
HAIR	이일중, 경민정
MAKE UP	안성희, 권소정
SET	전민규
ALBUM ARTWORK & DESIGN	Double-D

OFFICIAL WEBSITE
https://ENHYPEN.com

ENHYPEN Weverse
https://www.weverse.io/enhypen

OFFICIAL V LIVE
https://channels.vlive.tv/9A0CA5

OFFICIAL YOUTUBE
https://www.youtube.com/ENHYPENOFFICIAL

OFFICIAL TWITTER
https://twitter.com/ENHYPEN

ENHYPEN TWITTER
https://twitter.com/ENHYPEN_members

OFFICIAL FACEBOOK
https://www.facebook.com/officialENHYPEN

OFFICIAL INSTAGRAM
https://www.instagram.com/enhypen

OFFICIAL TIKTOK
https://www.tiktok.com/@enhypen

OFFICIAL WEIBO
https://weibo.com/ENHYPEN

OFFICIAL JAPAN TWITTER
https://twitter.com/ENHYPEN_JP